Dha Maddie, Piper agus Riley - K.C.

Dhan Bhùth-leabhraichean sgoinneil Steyning - N.S.

A' chiad fhoillseachadh sa Bheurla an 2020 le Bloomsbury Publishing Plc.

© an teacsa 2020 Katrina Charman.   © nan dealbhan 2020 Nick Sharratt.

Tha Katrina Charman agus Nick Sharratt a' dleasadh an còraichean a bhith air an aithneachadh mar ùghdar agus dealbhaiche an leabhair seo, a rèir Achd Còrach-lethbhreac, Dhealbhaidhean agus Pheutantan, 1988.

2 4 6 8 10 9 7 5 3 1

A' chiad fhoillseachadh sa Ghàidhlig an 2022 le Acair, An Tosgan, Rathad Shìophoirt, Steòrnabhagh, Eilean Leòdhais HS1 2SD

info@acairbooks.com   www.acairbooks.com

© an teacsa Gàidhlig le Acair 2022

An teacsa Gàidhlig Acair.   An dealbhachadh sa Ghàidhlig Mairead Anna NicLeòid.

Tha Acair a' faighinn taic bho Bhòrd na Gàidhlig.

Gheibhear clàr catalog CIP airson an leabhair seo ann an Leabharlann Bhreatainn.

LAGE/ISBN: 978-1-78907-129-0

Clò-bhuailte ann an Sìona le Leo Paper Products, Heshan, Guangdong.

OSCR
Scottish Charity Regulator
www.oscr.org.uk
Registered Charity
SC047866

Riaghladair Carthannas na h-Alba
Carthannas Clàraichte
Registered Charity SC047866

FSC
www.fsc.org
MIX
Paper from responsible sources
FSC® C020056

Tha Mucan-mara air Bus

Katrina Charman   **Nick Sharratt**

Tha corran-bàna air an trèan
a' dol glag, glag, glag!
Glag, glag, glag!
Glag, glag, glag!

Tha seilleanan a' sgitheadh le

sluis, sluis, sluis!

sluis, sluis, sluis!

Sluis, sluis, sluis!

Tha seilleanan
a' sgitheadh le
sluis, sluis, sluis!
fad an latha.

Tha càr le caoraich
a' dol sgluis sa pholl,

fad an latha.

Tha na ròin sa mhuir
a' dol suas is sìos,

suas is sìos,

suas is sìos.

Tha na ròin
sa mhuir
a' dol
suas is sìos,

fad an latha.

Tha tìgear san adhar
a' cur car air char,

car air char,

car air char.

Tha làraidh le tunnagan a' dol

brag,
brag,
brag!

brag,
brag,
brag!

brag,
brag,
brag!

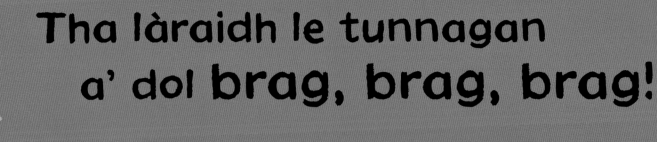

Tha làraidh le tunnagan
a' dol **brag, brag, brag!**

fad an latha.

Tha gobhar
ann an geòla
a' seinn io ho hò!
fad an latha.

Tha babùn le balùn
a' dol dhachaigh 'son tì,

dhachaigh 'son tì,
dhachaigh 'son tì.

Tha làmathan sgìth ag ràdh . . .

oidhche mhath

oidhche mhath

oidhche mhath

Tha làmathan sgìth ag ràdh

oidhche mhath

Srann! Srann!
Srann!